PIRATAS

Texto: Carlos Reviejo
Ilustraciones: Horacio Diez

© SUSAETA EDICIONES, S. A.
Campezo, s/n - 28022 Madrid
Impreso en la UE

PIRATAS

¡Aquí están los piratas!

Después de navegar con el viento en popa, por todos los mares que en el mundo hay, aquí están los Piratas.

Han atracado en un puerto llamado Fantasía y, sin más avisos, han entrado a saco en nuestra imaginación.

Pero no temáis; estos piratas no quieren haceros daño; pretenden sólo robaros la sonrisa y, si acaso, tocaros con su espada de espumas y de vientos en el rincón del corazón donde habita la ternura.

Recibidlos amablemente, abridles de par en par las puertas.

Izad la negra bandera, desplegad velas y marchaos con ellos rumbo a esa isla soñada por todos los piratas. Allí os espera un tesoro de diversiones, sorpresas y sonrisas, que será vuestro si sabéis descubrirlo.

¡Zarpad y que los vientos os sean propicios!

En el Tiemblo, año de mil novecientos...

Carlos Reviejo

¡Aviso!

Quiero, lector advertido,
hablarte claro y en plata:
este es un barco pirata
que los hados han querido
ver en libro convertido.
Pero no tengas temor,
porque te aviso, lector,
y demostrártelo espero,
que el pirata no es tan fiero.
Y el que avisa no es traidor.

¿Quién...?

¿Quién navega por los mares,
buscando el oro y la plata...?

El pirata.

¿Quién anda de puerto en puerto,
asustando al mundo entero...?

El bucanero.

¿Quién con su barco navega
sin rumbo ni calendario?

El corsario.

¿Cuál es el mar conocido,
donde mata, roba y vive...?

El Caribe.

¿Quién les lanza a la
aventura, siguiendo su negro
sino...?

El destino.

¿Quién anuncia su llegada,
con tibias y calavera...?

Su bandera.

¿Y qué buscan en las islas
con sus mapas y sus loros...?

Un tesoro.

Para ser pirata

Para ser pirata
de los de verdad,
estos mandamientos
tienes que guardar.

La primera cosa
que habrás de saber
es ver con un ojo
y andar con un pie.

Irás siempre sucio;
y sin afeitar;
jamás tus cabellos
deberás peinar.

Para ser pirata,
serás un malvado,
de horrible carácter
y mal educado.

Bailarás la polca
y andarás a gatas.
Hablarás a gritos
para ser pirata.

Para ser pirata
llevarás pendiente
y de oro macizo
lucirás un diente.

Has de ser muy malo
y meter la pata...
¡Has de ser tremendo
para ser pirata!

Mas si a los piratas
tú quieres jugar,
lo que he dicho antes
debes olvidar.

Sé un pirata bueno,
sigue este consejo:
el pirata malo
nunca llegó a viejo.

Haz tu bandera

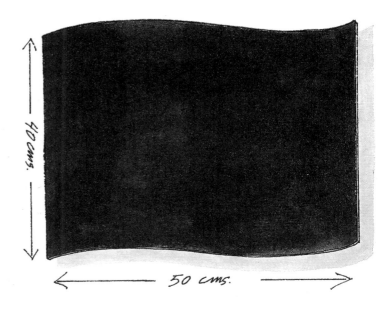

Necesitas una cartulina negra o un trapo negro de 50x40 cm aproximadamente.

40 cms.

50 cms.

En otra cartulina, o trapo blanco, dibuja una calavera y unas tibias cruzadas, proporcionales al tamaño de la bandera.

Después recorta la calavera y las tibias y pégalas, o cóselas, en la cartulina o trapo negro.

Ya tienes tu bandera y puedes izarla en tu camarote.

Aquí tienes otros modelos para elegir:

Piratateca

Barbanegra

Barbanegra *es formidable;*
siempre vestido de rojo,
ruge, ríe, guiña un ojo
y enarbola su gran sable.
Tiene una barba notable
llena de tirabuzones.
Seis enormes pistolones
lleva cruzando su pecho
y en su sombrero deshecho,
encendidos dos velones.

Bartolomé Roberts

Es un dandy de los mares
el señor **Bartolomé**.
Se perfuma, se cepilla,
se abrillanta su tupé,
se engomina los bigotes
y estornuda con rapé.
Aunque ataque el enemigo,
va vestido con chaqué,
oye música en cubierta
y a las cinco toma el té.

La señora Ching

Por los mares de la China,
de la China de Pekín,
una china chincha mucho
con un junco chiquitín.
Al que coge le machaca
y le chafa el peluquín,
y le pincha con chinchetas
y le roba su botín,
o le plancha los chichones
mientras choca su chinchín.

Esta china capuchina
de la China de Pekín,
que en los charcos chapotea,
y chamusca el coletín,
y que es diestra en dar tortura
con tachuelas y espadín,
es conocida en la China
como la señora **Ching**.

Barbarroja

El gran Barbarroja,
aunque no me creas,
tiene un secretillo
que su vida afea.
No es que sea cobarde,
¡no huye de la pelea!,
ni quiero decirte
que un borracho sea...
¡Es que cuando embarca,
siempre se marea!

Capitán Kidd

¡Qué cosas le pasan
al capitán **Kidd**!
Al subir al puente
cometió un desliz
y un golpe se ha dado
justo en la nariz.
Como bebe tanto
—y en eso está el "quid"—,
ve las cosas dobles
el pobre infeliz.

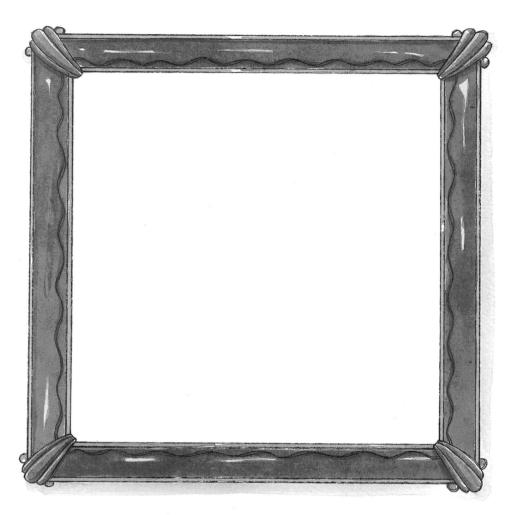

No es del pintor un olvido,
este cuadro que está en blanco;
es para que tú lo llenes
pintando tu autorretrato.

Vestirse como un pirata te costará poca plata

Sombrero

Hacer un sombrero de pirata es muy fácil.
Seguro que tienes un sombrero viejo de paja. Ese te valdrá.

Dobla el ala, por su frente, y sujétalo con un imperdible.
En el ala doblada puedes poner un adorno: una calavera, dos sables cruzados, etc.

Garfio

Para el garfio puedes utilizar un gancho de percha metálico o de plástico. Si utilizas el metálico debes poner un corcho en la rosca, para no pincharte, y agarrarlo con la mano cerrada.

Sable

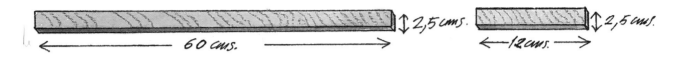

Necesitas una tabla de unos 60 cm de largo por 2,5 cm de ancho y 0,5 cm de grueso. Como cruceta pon una tabla como la anterior de 12 cm de larga.

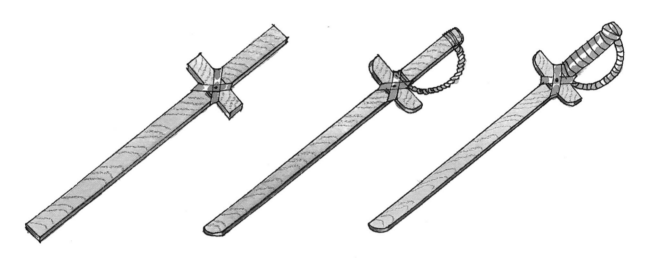

Únelas con un clavo y cinta aislante. Redondea la punta para no hacerte daño. Puede añadirse un alambre, como ves en el dibujo, al que también recubrirás con varias vueltas de cinta aislante.

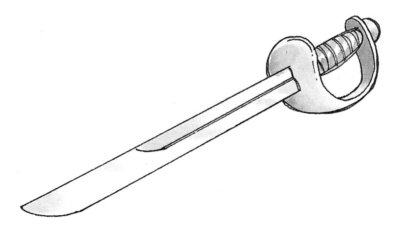

Parche

Para hacer un parche no necesitas muchas instrucciones. Con una cinta y un pedazo de tela habrás resuelto el problema.

Pendiente

El pendiente lo harás con una anilla de plástico a la que darás un corte.

Cinturón

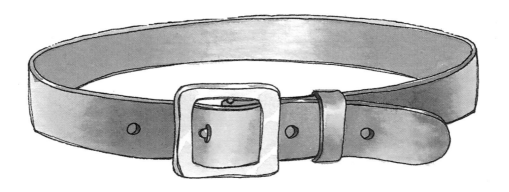

Lo más seguro es que tus padres tengan algún cinturón ancho fuera de uso. Pídeselo.

Camisa

Una camisa blanca o una camiseta de rayas te harán un buen servicio.

Pantalón

Si tienes unos pantalones viejos, que no sirvan, córtalos por debajo de las rodillas.Valen unas bermudas.

Botas

Unas botas de agua.

Nos trae en su voz el viento una fábula y un cuento

Fábula del marinero perdido

Muy de mañana,
salió del puerto
en su chalupa
un marinero.
Rema que rema
se fue metiendo,
poquito a poco,
en mar abierto...
El tibio sol
y el movimiento
del oleaje
le dieron sueño.

Sueña que sueña
se va durmiendo.
De entre sus manos
se van los remos
y hacia otros mares
le arrastra el viento.
Pasa que pasa,
se pasa el tiempo.
Aunque le buscan,
con él no dieron...
¡Jamás se supo
del marinero!

* * *

De este cuento has de sacar
la moraleja siguiente:

"Al pirata que se duerme,
se lo lleva la corriente".

Las aventuras de Tiburón Jones

Tiburón Jones tenía fama de mentiroso. Pero como contaba muy bien las mentiras, a su alrededor siempre había un corrillo de curiosos escuchándole, en la taberna El Garfio Dorado. —...Y entonces, cogiendo mi cuchillo, me lancé al agua para salvar a mi amigo Roco, al que un tiburón le había mordido en el trasero. Me monté sobre aquel descomunal animal, que mediría más de siete metros, y me agarré a su aleta. Diez veces clavé mi cuchillo sobre su lomo, pero no pude evitar que se diera la vuelta y, antes de morir, de un bocado se tragara mi pierna. Esa es la razón de mi pata de madera y de mi nombre —dijo al finalizar de contar una de sus batallitas.

—A mí me ha dicho alguien, que perdiste tu pierna porque se te infectó un rasguño que te hizo tu gato y te la tuvieron que cortar —le dice burlonamente uno de sus oyentes.

—¡Rayos y truenos! —exclamó Tiburón Jones—. ¡Esas son calumnias! ¡Viles mentiras! ¡Pura envidia! Dime quién lo ha dicho y me batiré con él a espada, a pistola, o como él quiera.

—Bueno, bueno, Tiburón —interrumpió otro pirata malcarado—, no hagas caso y cuéntanos lo del tesoro.

—¡Voto a Bríos, esa sí que es una buena historia! —dijo Tiburón golpeando con su pata de palo en el suelo—. Pero tengo la boca seca. —¡Tabernero —gritó uno de los presentes—, trae una jarra de ron para Tiburón Jones! ¡Invito yo!

Poco después, el viejo pirata bebió un largo trago, se limpió con la manga de su chaquetón y carraspeó. —Está bien. Si os empeñáis...

"Habíamos asaltado Maracaibo y alguien encontró un mapa en el palacio del gobernador.

—¡Por todos los diablos del averno —se oyó decir al capitán Rocas Bill—, es el mapa de un tesoro! ¡Muchachos, de esta nos retiramos!

Toda la tripulación gritó de alegría y dimos vivas al capitán.

Al día siguiente, al amanecer, el "Terror de los Mares" —que así se llamaba nuestro barco— desplegó velas y nos hicimos a la mar rumbo a la Isla de Sullivan.

La tripulación estaba entusiasmada.

—Es el tesoro de William Kidd —decía el contramaestre—, Nos van a salir las piastras por las orejas!

El buen tiempo y el viento favorable hicieron que en cuatro días pudiéramos avistar la silueta de la isla. ¡Allí, en una cueva del interior, estaba uno de los tesoros más famosos!

Elegimos unas ensenada y fondeamos el barco. En una chalupa, pertrechados con picos y palas, nos acercamos a la orilla.

—¡Seguidme! —nos ordenó Rocas Bill, al mismo tiempo que se ponía en marcha por un sendero estrecho y polvoriento. El calor era insoportable y el sudor empapaba nuestras ropas. Después de caminar dos horas, el capitán consultó el mapa, trazó unos enigmáticos dibujos en el suelo, y al fin gritó:

—¡Todo al norte!

Ahora el camino se empinaba. Os podéis imaginar lo que a mí me estaba costando subir por él con mi pata de palo; pero el deseo de descubrir aquel tesoro me hacía soportarlo con alegría.

Al cabo de hora y media llegamos a un lugar de grandes piedras y vegetación abundante. Al fondo se veía la boca de una cueva.

—¡Preparad las antorchas! —nos advirtió el contramaestre.

Uno a uno, encabezados por el capitán, entramos en la cueva. A la luz de las antorchas pudimos ver una oquedad no demasiado profunda. En el suelo se hallaban dos tibias cruzadas. Rocas Bill las señaló y, con la voz entrecortada, nos ordenó:

—¡Cavad aquí!

Ni que decir tiene que lo hicimos con entusiasmo y aunque la tierra estaba dura, aquello no fue obstáculo para que en pocos minutos hubiéramos hecho un hoyo de dos metros de profundidad.

—¡Capitán, aquí hay algo! —chilló alguien.

Y, claro que era algo. Era un cofre de enormes dimensiones, que con mucho esfuerzo pudimos subir.

—¡Apartaos! —nos dijo el capitán, y disparó a la cerradura.

Ante nosotros apareció el tesoro más grande que hubiera soñado pirata alguno: joyas de oro y plata, collares de perlas, sortijas, pendientes, vajillas... ¡Éramos ricos, inmensamente ricos! Cogimos el cofre y desandamos el camino. En la orilla cargamos el cofre en la chalupa.

El tiempo había cambiado y el viento nos alejó del barco. De pronto, ante nuestros sorprendidos ojos, apareció una enorme ballena. De un coletazo nos hizo saltar por los aires y, no sé cómo ni por qué, acabé en la barriga de aquella ballena. Recordé que en uno de los bolsillos llevaba unos fósforos protegidos de la humedad y encendí una antorcha. Asombrado pude ver toda clase de objetos.

El estómago de la ballena era como un gran almacén; había remos, anclas, incluso un pequeño bote y ¡el cofre del tesoro, que también se lo había tragado! Después de contemplar aquellas riquezas, empecé a pensar en cómo salir de allí. Por casualidad, en otro de mis bolsillos llevaba un pequeño bote de pimienta. Espolvoreé su contenido y al instante la ballena dio un tremendo estornudo y salí volando por los aires. Caí al agua, y junto a mí, por suerte, el bote y unos remos. Con ellos, no sin gran esfuerzo, pude alcanzar la orilla y poco después el barco. Del capitán y de los otros compañeros de la chalupa nunca más se supo".

—¿Y el cofre? —preguntó uno de los oyentes.

—El cofre se quedó en el vientre de aquella maldita ballena —respondió Tiburón Jones rascándose la barba.

—¡Qué mala suerte! ¡Podías haber sido el pirata más rico del Caribe —le decían burlonamente.

—¡Ya lo creo! Pero un día buscaré a la ballena y ese tesoro será mío.

—¿Y cómo vas a reconocerla, Tiburón?

—Ya lo creo que la reconoceré. Me fijé en una pequeña cicatriz que tenía en su lomo. A propósito de cicatriz, ¿os he contado la historia de cómo me hice esta cicatriz que tengo en la cara?...

Y los piratas de la taberna, ya cansados, le decían:

—Tiburón, eso nos lo cuentas otro día. Hoy ya se ha hecho tarde.

¡*Barco a la vista!*

Zafarrancho en el Dragón

Todos los corsarios,
del bajel Dragón,
con la escoba al hombro,
un cubo y jabón,
hacen zafarrancho
con esta canción:

"–Yo lavo las velas
y las tiendo al sol.

–Con limpiametales
yo limpio el cañón,

saco brillo al ancla,
y luego al timón.

—Yo barro la cubierta
con este escobón
y sacudo el polvo
de nuestro pendón.

—Pues yo en la bodega
he visto un ratón
y preparo trampas
con queso y jamón.

—Yo encero la borda
que está en estribor
y lo mismo hago
con la de babor.

—De proa hasta popa
limpio el polvo yo,
y friego la cofa
del palo mayor".

Ya todo está en orden
al caer el sol,
y alegres desfilan,
con satisfacción,
los limpios corsarios
del bajel Dragón,
cantando contentos
su alegre canción.

Sombrero y Barco de papel

Seguro que sabrás hacer un sombrero.
Pero si no lo sabes, ahora te explicaremos cómo hacerlo.

Necesitas un papel rectangular cuyo tamaño dependerá de cómo quieras hacerlo.

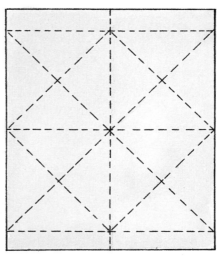

(Plegado general)

Para que te sirva como sombrero utilizarás un papel de 50x35 cm aproximadamente.

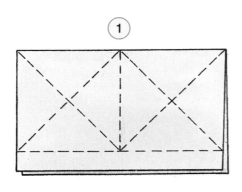

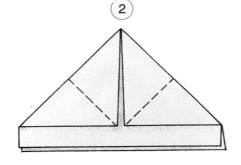

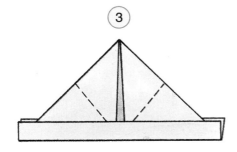

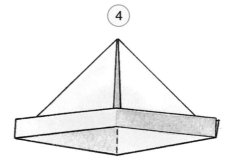

Una vez terminado el sombrero, continúa el proceso así:

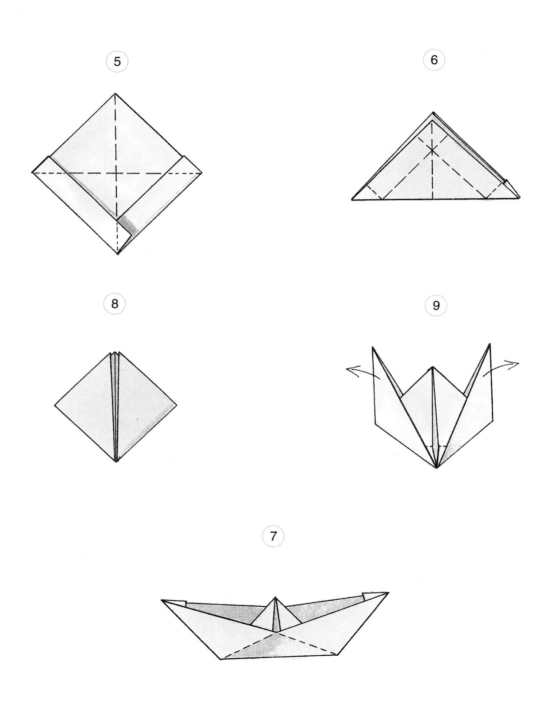

Piratas de río

Por el río arriba,
en su bergantín,
navegan contentos
Garfito y Bizquín.

(¿O tal vez se llamen
Bizquito y Garfín?).

Piratas de río
de mucho postín,
ayer capturaron
un rico botín:

Dos verdes canicas,
un loro, un patín,
un álbum de cromos
y un gran peluquín;
tres viejas tortugas,
un frac, un batín,
un oso de trapo
y un buen cornetín.

Gritan de alegría,
¡somos ricos al fin!
y todo lo meten
en un maletín.

Mas, sin esperarlo,
estalla un motín
y a los dos piratas,
¡hay que ver qué fin!,
echan por la borda
de su bergantín.

Tristes van nadando,
ya sin su botín;
todo lo han perdido
Garfito y Bizquín

(¿O acaso se llamen
Bizquito y Garfín?).

Las viejas tortugas,
el frac, el batín,
el oso de trapo
y el gran cornetín.

Las verdes canicas,
el loro, el patín,
el álbum de cromos,
y el gran peluquín;

Llora que te llora,
lágrimas sin fin,
van aguas abajo
Garfito y Bizquín.

(¿O serán sus nombres
Bizquito y Garfín?).

Carabela de nuez

Si el espacio de navegación es muy reducido, un lavabo por ejemplo, puedes construir una carabela con la cáscara de una nuez.

Para ello vaciarás media nuez y pondrás un palo de chupa-chup, o algo parecido, y lo sujetarás con cera derretida.

Después colocarás una vela de papel de 3x4 cm y a navegar.

Para mejor navegar se necesita cantar

Bocina

Para que puedas cantar o dar órdenes en cubierta, sin temor a quedarte afónico, te voy a indicar cómo puedes construir una bocina.

Necesitarás solamente un cartón flexible de las medidas que te indica el dibujo (pueden ser menores, pero proporcionales), tijeras y un buen pegamento.

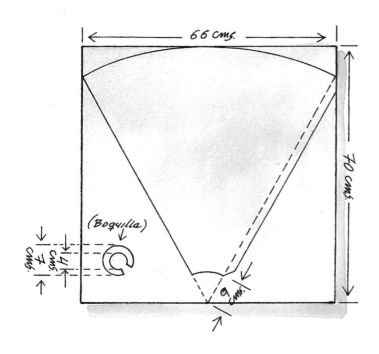

No olvides la pestaña que te servirá para pegar el cartón arrollado en forma de embudo. Las aberturas, superior e inferior, deberán tener 22 y 3 cm respectivamente.

La boquilla, una vez recortada, la pegarás en la abertura inferior.

Si quieres que la bocina sea más duradera, puedes pintarla con una solución de goma laca disuelta en alcohol. Con ello, cuando se haya secado, adquirirá una gran rigidez.

Utilízala en el campo o en el patio del colegio, pero no des la lata en casa, grumete.

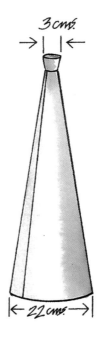

La marcha de los piratas malos

Somos los piratas
de pata de palo,
barbudos y feos
con cara de malos.

Somos los piratas
del ojo tapado,
dueños de las islas
de los mares, amos.

Cruzamos cien mares
buscando tesoros:
canicas, postales,
tebeos y cromos.

En cofres de espuma
guardamos corales,
estrellas de mar
y rojos cristales.

No queremos perlas
ni queremos oro;
con un buen velero
lo tenemos todo.

Somos los piratas
del mar el terror,
y al mundo asustamos
con esta canción.

Libres como el viento
somos los piratas.
Nada nos da miedo,
nada nos espanta.

La polca del muerto

A medianoche,
cerca del puerto,
bailan la polca
piratas muertos.

En la cubierta
se balancean,
mueven sus huesos
y se cimbrean.

Mueven el fémur,
mueven el pie,
mueven la tibia
y el peroné.

Rechinan dientes,
crujen los carpos,
los maxilares
y metacarpos.

Se contorsionan,
gimen, se agitan,
y al frío viento
todos tiritan.

Sobre la borda
danzan inquietos,
entre las sombras,
los esqueletos.

Mueven, muy tristes,
todos al son,
las cervicales
y el esternón.

Doblan los brazos,
doblan rodillas,
doblan los codos
y las costillas.

Esta es la polca,
polca del muerto,
que bailan todos
cerca del puerto.

Nana corsaria

A la nana, nana,
la nanita ea.
A la nana, nana,
que el mar te marea.

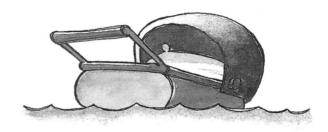

Duérmete, mi niño,
duérmete al instante,
y tendrás un sueño
de oro y diamantes.

Cierra ya los ojos,
que si no los cierras,
a por ti vendrá
un lobo de tierra.

Si te duermes pronto,
te haré una bandera
con dos tibias blancas
y una calavera.

A la nana, nana,
del pirata aquel
que tenía un barquito
de seda y papel.

De un lejano mar,
tu padre el pirata,
te traerá, si duermes,
un sable de plata.

A la nana, nana,
que te traigo yo,
barriles de roble
con sabroso ron.

Al son de las olas,
duérmete deprisa,
que un cofre te traen
repleto de risas.

Te daré, si duermes,
mapas de tesoros,
rosas de los vientos,
doblones y loros.

A la nana, nana,
la nanita ea,
nana del pirata
del mar que marea.

El loro del capitán

Esta es la historia de un capitán
que todos dicen que tiene un loro.

"¡Oro, oro, oro!"

grita el maldito sin descansar
y le contestan todos, a coro:

"¡Oro, oro, oro!"

desde el Caribe a Gibraltar.
Sobre su barco, un comodoro,

"¡Oro, oro, oro!"

va repitiendo por alta mar.

Y allá en Marruecos,
contesta un moro:

"¡Oro, oro, oro!"

Y en el desierto se oye el cantar.

"¡Ya no hay respeto, ya no hay decoro!"

"¡Oro, oro, oro!"

chilla enfadado un gran Sultán.

Fieros piratas, tras el tesoro,

"¡Oro, oro, oro!"

como posesos cantando van.

Y hasta en España, si sale un toro,

"¡Oro, oro, oro!"

en vez de olé, suelen gritar.

Y allá en su isla, al son sonoro,

"¡Oro, oro, oro!"

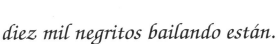

diez mil negritos bailando están.

Mientras, sin pausas,
chilla aquel loro,

"¡Oro, oro, oro!"

sobre los hombros del capitán.

Pon un loro en tu vida

Las crónicas y las novelas del mar nos dicen
que muchos piratas tuvieron cacatúas
y loros. Uno muy famoso
fue "El capitán Flint", el loro
de John Silver el Largo,
el de "La isla del Tesoro".

40,5 cms.

30 cms.

20 cms.

Ahora te ofrecemos una ocasión
única para tener un loro que no
come ni exige que le limpies, y
al que sólo le falta hablar.

¿Qué necesitas?

Un tablero de contrachapado
de   30x20 cm
y de 4 ó 5 mm de grueso.

Papel de seda y de calco.
Témperas, pincel, lija y
una sierra de marquetería.

¿Cómo lo harás?

1. Copia en el papel de seda el dibujo de la página
de al lado y después cálcala en el contrachapado.
Hazlo con cuidado.

2. Recorta con la sierra. Deberás tener especial
cuidado al recortar el aro, para evitar que se rompa.

3. Lija con suavidad y pinta con
los colores correspondientes el loro.

4. Una vez seco, con un hilo
de pescar u otro cualquiera,
cuélgalo del techo de tu habitación
a la altura que prefieras.

Los piratas en la noche, hacen de ingenio un derroche

Adivimarinanzas

En un carro va montada
cuando sale por la noche;
la buscan los navegantes
pues siempre señala el Norte.

Estrella polar

No lo ves y está presente.
Sopla y no tiene pulmones:
hace olas en el mar
y aventa los nubarrones.

El viento

Van y vienen sin cesar
y caminan sobre el mar.

Las olas

Luce vistosos colores
este animal singular,
que repite como el eco
lo que escucha a los demás.

El loro

Es redondo como el mundo
y con él llevas el rumbo.

El timón

Tiene velas y no alumbra;
lleva casco y no es bombero,
arboladura y no es bosque.
¿Sabes a qué me refiero?

Un velero

Ondea y ondea;
no para un momento.
Flamea y flamea,
cuando sopla el viento.

La bandera

Trabalenguas marino

Hubo un corsario rudo,
tozudo,
caretiorejudo,
pancibarrigudo,
frenticabezudo,
barbipelambrudo,
que hacía tempestades
soplando un embudo.

Y tenía un amigo
mudo,
huesudo,
cuellicogotudo,
ojituertiagudo,
pernetipeludo,
larguipatilludo,
que hundía los barcos
con sus estornudos.

Y también un perro
rabudo,
hocicudo,
peletilanudo,
costillihuesudo,
alambripatudo,
culimofletudo,
que alzando sus patas
hacía saludos.

Como era tan viejo...

Como era tan viejo
el pobre pirata,
con mucha frecuencia
metía la pata.

Tomaba la sopa
con un tenedor
y comía chuletas
con un cucharón.

Al salir la luna
"¡buenos días!", decía;
y "¡muy buenas noches!"
cuando el sol salía.

Se ponía el abrigo
cuando hacía calor;
y si estaba helando,
iba en bañador.

Guardaba silencio
si tenía que hablar
y gritaba fuerte
si había que callar.

Andaba despacio
si tenía prisa;
y si estaba triste
se moría de risa.

¡Todo lo hacía mal...!
Y es que, como ves,
el viejo pirata
vivía al revés.

Tantanes salados

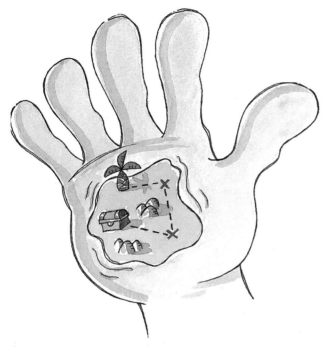

Era un pirata tan afortunado,
tan afortunado, que en vez de tener
rayas en la palma de la mano,
tenía el mapa de un tesoro.

Aquel corsario era tan gordo,
tan gordo, que se hizo un traje
de mil rayas y necesitó tres mil.

Era un bucanero tan pequeño, tan pequeño, que se sentaba en un duro y le sobraban cuatro pesetas.

Hubo una vez un marinero tan optimista, tan optimista, que metió una zapatilla en una jaula de un loro y se sentó a esperar a que cantara.

Era tan tonto, tan tonto,
aquel pirata, que
le mandaron "abordar"
un barco y cogió aguja,
tela y un bastidor y lo bordó.

Era tan buen marino
que cuando desembarcaba
se mareaba.

Chistes piratas

Al pie de la letra

—¿Por qué has echado tierra a los ojos del vigía? —pregunta enfadado el capitán pirata al grumete.

—Es que como gritó "¡Tierra a la vista!..." —contestó el grumete.

Poca experiencia

—¡Barco a la vista! —gritó un vigía novato de un galeón real.

—¿Qué tipo de barco es? —preguntó el piloto.

—No sé, pero debe de ser de la "Funeraria". porque lleva una bandera negra con una calavera y una cruz debajo —contestó el vigía.

Donde las dan las toman

Al caer la noche, en la taberna del puerto, los piratas contaban sus aventuras y andanzas. Uno de ellos, que tenía fama de mentiroso, decía:

—¿Habéis oído hablar del Mar Muerto? Pues a ese mar, cuando estuve embarcado con el capitán Morgan, lo matamos nosotros.

—¡Ah, sí! —le dijo otro que tenía fama de burlón—. Recuerdo que a los pocos días pasamos nosotros por allí y, como olía tan mal, lo tuvimos que enterrar.

Un loro inteligente

Un pirata le decía a otro:

—Tengo un loro que es una maravilla. Si levanta la pata izquierda, canta una polca y si levanta la derecha, una nana.

—¿Y si levanta las dos? —preguntó el otro pirata.

—¡Pues que me caigo, idiota! —respondió el loro.

No dar una en el clavo

Un pirata viejo le decía a otro que él no creía en los adivinos y pitonisas.

—¿Por qué? —quiso saber un compañero.

—¿Que por qué? —dijo el viejo pirata—. Cuando era pequeño, mi madre me llevó a que me adivinaran el porvenir, y la bruja dijo: "Su vida será tranquila; no hará grandes viajes. Tendrá muy "buena mano" a la hora de elegir su profesión y "buen ojo" para los negocios. Por eso andará con "buen pie" en la vida.

¡Y ya ves! —terminó señalando el parche de su ojo, el garfio de su mano y la pata de palo.

En la escuela, al bucanero, le enseñan el refranero

Aborda bien, y no mires a quién

El pirata no debe hacer ascos a ningún barco que pase por su lado. Su misión es atacarle, sin más.
Os imagináis lo que pensarían de un capitán que dijera:
"A ese barco no le abordo porque es de mi primo. A ese tampoco, porque me ha caído simpático; y a ese porque tiene unas velas color rosa que son un primor..."

El que a buen barco se arrima, buen sollado le cobija

Contar con la protección y la amistad de los poderosos puede ser beneficioso.

Si tu amigo tiene un bote,
te podrás dar un paseo;
pero si un yate posee
podrás hacer un crucero.

A las barbas con dineros, honran bien los bucaneros

Muchas veces el egoísmo hace que tratemos con más respeto a los poderosos que a los humildes.

Lo dijo Quevedo un día
y qué gran razón tenía:
Poderoso caballero
es don dinero".

Más vale botín en mano que ciento volando

Cuando algo se tiene seguro, no debe abandonarse por algo que, tal vez, sea mejor, pero que no sabemos si se podrá lograr o no. Puede que, si así obramos, nos quedemos sin nada. Como le pasó al corsario Juan "Pupas", que no quiso abordar un pequeño bajel, cargado hasta la bandera de oro, porque le dijeron que detrás venían tres galeones mucho mayores. Cuando llegaron los tres barcos, resulta que iban cargados de madera. Como es natural, Juan Pupas "se tiraba de los pelos".

No hay pirata sin vicio, ni tesoro sin desperdicio

Todas las cosas, por perfectas que parezcan, tienen algún defecto.

Soñando con un tesoro
se pasó toda la vida
y entre viejos papelotes
un mapa se encontró un día.
Navegando, navegando,
llegó, por fin, a la isla.
Y allí, junto a un promontorio,
mandó cavar muy deprisa.
Un arca de bellos cierres
dentro de la tierra había
y cuando abrieron la tapa...
¡vieron que estaba vacía!

Al pirata y al villano, si le das pie, se tomarán la mano

Existen personas que abusan de la confianza que se les da.

Eso mismo le pasó a James el Confiado. Compró un velero y se lo dejó a un amigo para que lo probara y se diera una vueltecita por el puerto. Volvió a los dos años, después de dar la vuelta al mundo y al ver la cara de pocos amigos de James, le dijo:

—¡No se te puede gastar una broma!

El corsario, el pez y el pepino, viven en agua y mueren en vino

La verdad es que, en vez de en vino, debiera decir en ron —que es lo propio de piratas y corsarios—, pero no pegaría.

Según decían los hombres del campo, el pepino y el pez se deben comer con vino. Y el corsario a veces muere con el vino.

Cada uno en su barco, y el pirata en los de todos

Recomienda este refrán no meterse
en los asuntos de los demás.
Entonces, ¿qué pinta aquí el pirata?
Hombre, ya se sabe que al pirata
no hace falta que le invites;
viene en seguida a tu barco,
al del vecino y hasta al
del lucero del alba.
¡Para eso es pirata!

A bajel que te regalen no le mires el velamen

A ver si encima de que te hacen un regalo le vas a hacer ascos y a poner pegas. Y si es un barco, mucho menos. Que ya te veo diciendo que el color de las velas no te gusta; que si el timón no es de caoba; que el camarote es un poco estecho... Si ya lo dice otro refrán: "A caballo regalado, no le mires el diente".

De piratas, corsarios y bucaneros, Dios libre nuestros dineros

Dios y un buen barco que te aleje de ellos. Con los piratas ya se sabe, te pones a su alcance y te dejan a dos velas. Y nunca mejor dicho.

Del pirata no te fíes, tampoco del bucanero. Procura, si puede ser, estar muy lejos de ellos, pues ya sabes que esas gentes son amigas de lo ajeno.

No es tesoro todo lo que reluce

Efectivamente, no hay que fijarse de las apariencias. Las cosas, muchas veces, no son lo que parecen.

Acuérdate del capitán Roberts: muy perfumado él, muy elegante, mucha música a bordo y mucho tomar el té a las cinco, y luego te hacía un abordaje como la copa de un pino y te dejaba sin una peseta en el bolsillo.

Al pan, pan, y al ron, ron

Hay que llamar a las cosas por sus nombres y hablar con claridad. Y es que hay quien dice: "Voy a echar un traguito" y lo que hace es beberse una botella de ron, por ejemplo. O ese que me dijo: "Oye, vengo a pasar unos días a tu casa", y ya lleva seis meses, el cara. Aquí, las cosas claras y el chocolate espeso.

Cuando llueve y hace viento...

Para hacer las cosas hay que elegir el momento apropiado.
A Gafe Ronald le dijo su amigo:
—Puedes hacerte a la mar; sólo habrá una ligera tormenta.
Al cabo de unas horas, volvió Gafe Ronald, empapado, con la ropa destrozada y un trozo de timón en la mano.
—Con que una ligera tormenta, ¿eh? —le dijo al amigo.

Del cielo abajo, cada pirata vive de su trabajo

Para poder vivir todo el mundo tiene que realizar un trabajo.

Claro que el trabajo de algunos es vivir del trabajo de otros. Como los piratas, sin ir más lejos.

De enero a enero, el dinero es para el bucanero

Para muchas personas no hay épocas malas y siempre viven bien.

Este señor que te digo
vive del dinero ajeno.
¿Hace falta que te diga
que ese señor es banquero?
(¡Perdón, que me equivoqué,
quise decir bucanero!)

Adivina adivinador, las velas de mi velero, ¿Qué cosa son?

Es como la famosa frase "¿De qué color es el caballo blanco de Santiago?". Son preguntas que ya tienen la respuesta incluida y se suelen utilizar para probar la torpeza de alguien.

No hay mejor blasón que doblón sobre doblón

Lo dicen los que prefieren dinero a honras y títulos. Es que, como ellos dicen, ¿de qué le sirve a un pirata tener mucha fama y ser muy temido, si tiene las bodegas de su barco vacías?

Bucanero que no asalta, o está loco o poco le falta

Es como un león que no rugiera,
o un gallo que no cantara,
o un avión que no volara.
Si un bucanero no aborda a
los barcos que pasan por su lado
o es que está jubilado o ha
dejado de ser bucanero.

A mar revuelto, ganancia de filibusteros

Cuando las cosas están desordenadas en un negocio o empresa, siempre hay alguien que se aprovecha de ello para obtener beneficios.

> Por mucho que ruja el viento
> y esté embravecido el mar,
> alguien habrá, sin dudar,
> que aproveche ese momento
> para su bolsa llenar.

Para que estés siempre en forma, el cocinero te informa

Recetario de a bordo del capitán beodo

Para evitar los problemas
que trae la navegación,
estas recetas que lees
te darán la solución.

Para el mareo es muy bueno,
manzanilla con limón,
aire fresco en la cubierta...
y una botella de ron.

Contra el temblor que produce
el sonido del cañón,
tómate un poco de tila...
y una botella de ron.

Sana toses y estornudos
que produce el "aquilón",
un ponche bien calentito...
y una botella de ron.

Para la herida del sable
y el tiro del pistolón,
hojas de "sanalotodo"...
y una botella de ron.

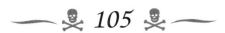

Curan bien las mordeduras
que produce el tiburón,
torniquetes y salmueras...
y una botella de ron.

Para el dolor de barriga
y la mala digestión,
anís y poleo juntos...
y una botella de ron.

Curarás el escorbuto
y el martirio de la tos,
con infusión de cebolla...
y una botella de ron.

Para estar muy relajado
y dormir como un lirón,
dos vasos de valeriana...
y una botella de ron.

Mas si hierbas no encontraras,
no tengas preocupación;
pues, al fin, lo que te cura,
es la botella de ron.

Naranjas al caramelo

Para recuperar la falta de vitamina "C" después de una larga travesía, este postre te vendrá muy bien. Y más sabiendo lo goloso que eres.

Ingredientes para 4 personas:

* 4 naranjas
* 6 cucharadas de azúcar
* 12 cucharadas de agua hirviendo

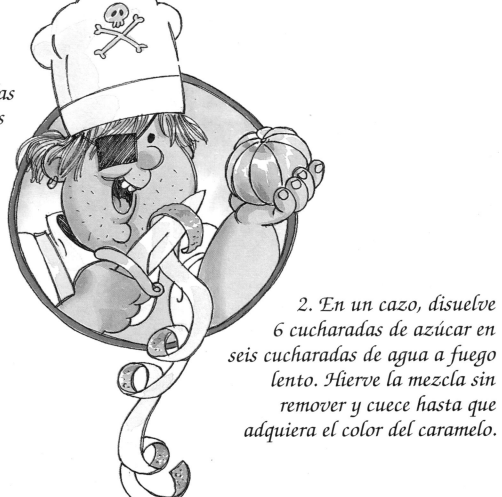

1. Pela muy bien las naranjas y córtalas en finas rodajas. Colócalas en un frutero o una fuente redonda.

2. En un cazo, disuelve 6 cucharadas de azúcar en seis cucharadas de agua a fuego lento. Hierve la mezcla sin remover y cuece hasta que adquiera el color del caramelo.

3. Añade al caramelo las 6 cucharadas restantes y bate con fuerza. (Para éste y el anterior proceso, es menester, marinero, que pidas ayuda a la gente adulta, para evitar accidentes).

4. Vierte sobre las naranjas el líquido y espera a que se enfríe antes de meter el frutero o fuente en el frigorífico. Sírvelo frío adornado con unas tiritas de piel de naranja.

¡Buen provecho!

Tarta de galletas
(con ritmo de rap)

Una buena tarta
vas a cocinar.
Ya verás qué fácil
te va a resultar.

Ocho o diez galletas
debes preparar
y con mantequilla
las tendrás que untar,
y cacao en polvo
espolvorear.

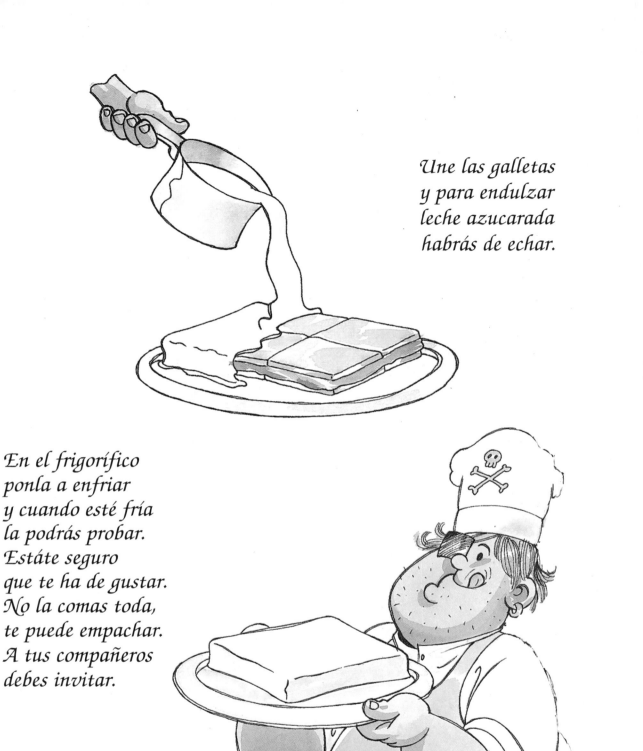

Une las galletas
y para endulzar
leche azucarada
habrás de echar.

En el frigorífico
ponla a enfriar
y cuando esté fría
la podrás probar.
Estáte seguro
que te ha de gustar.
No la comas toda,
te puede empachar.
A tus compañeros
debes invitar.

Papá Caribe a los malos, en mayo les trae regalos

La noche de papá Caribe

Papá Caribe, todos los años,
llega de lejos, de un mar extraño.

El diez de mayo es la gran noche;
no trae camello, trineo ni coche.

Papá Caribe navega y vuela
en su fragata de blancas velas.

Guían su barco veinte sirenas
y le custodian cuatro ballenas.

Viste casaca de color rojo,
y un negro parche le tapa un ojo.

Camisa blanca, calzón rayado;
con negras botas está calzado.

En su cabeza lleva un sombrero
de cinta rosa y azul plumero.

Tiene la barba como la nieve
y una melena que el viento mueve.

De fina plata tiene dos dientes
y en una oreja luce un pendiente.

Viene de noche, Papá Caribe,
con los regalos de quien le escribe.

Barco por barco va visitando
y sus regalos les va dejando.

Para los malos trae dos mil loros
y viejos mapas con cien tesoros.

Patas de palo de buen nogal,
ojos de hueso y de cristal.

Diez mil barriles de ron de caña,
y muchos sables que trae de España.

Y a los piratas que han sido buenos
les trae mil sacos de carbón llenos.

—"¡Papá Caribe, no seas tan malo,
tráeles al menos algún regalo...!".

—"Para esos tontos no hay ni un doblón...
¡Que se conformen con el carbón!".

—¿Es que no saben, esos cretinos,
que ser muy malos es su destino?

Papá Caribe, cuando amanece,
bebe un buen trago: se lo merece.

Ya cuando el alba en el mar riela,
hacia sus mares otra vez vuela.

Guían su barco veinte sirenas
y le custodian cuatro ballenas.

Mil gaviotas le van llevando,
y atrás la tierra se va quedando.

Papá Caribe, dentro de un año,
vendrá de nuevo de un mar extraño.

Al final de este viaje, debes mandar un mensaje

Mensajes secretos

Tintas invisibles

Para que comuniques tus mensajes sin que nadie pueda interceptarlos, te vamos a dar algunas fórmulas.

Para escribir puedes usar alguna de estas tintas especiales: zumo de cebolla, agua azucarada, limón, vinagre, leche.

Utiliza una pluma nueva (en caso de necesidad vale con un palillo de dientes) y escribe sobre papel blanco. Moja en uno de esos zumos, el que te resulte más fácil de obtener, y escribe sobre un papel blanco tu mensaje. Antes de meterlo en el sobre, deja que la escritura se seque.

Para que el mensaje se haga visible se pasará sobre el papel una plancha caliente o se colocará el papel al vapor de una olla.

Códigos secretos

Existen diferentes códigos para transmitir mensajes secretos. Algunos tan sencillos como asignar a cada letra del alfabeto un número: A=1, B=2, C=3... Tú puedes inventar otros.

Ahora intenta descifrar el siguiente mensaje y contesta utilizando el mismo código:

¿D2 q52 c4l4r 2s l1 b1nd2r1 p3r1t1?

Arribaje

¡Atención! ¡Tierra a la vista!
¡Las velas hay que arriar!
Viajeros de este barco,
hemos llegado al final.
En este tranquilo puerto,
vamos a desembarcar.
Mas si os agradó el viaje,
podéis volver a empezar.
Hay mil barcos como éste
dispuestos siempre a zarpar,
que con el viento en la popa
os llevarán a alta mar.
Cada vez que abrís un
libro comenzáis a viajar.
Son sus páginas las velas;
vosotros, el Capitán.

Índice